Krátké

v Polštině

pro Začátečníky

Daria Gałek

Obsah

Úvod

"Krátké Příběhy v Polštině pro Začátečníky" je sbírkou 20 snadno čitelných krátkých příběhů navržených pro nové polské studenty. Příběhy jsou napsány jednoduchým jazykem a obsahují srozumitelné postavy a každodenní situace, což je ideální pro ty, kteří teprve začínají se učit jazyk.

Každý příběh následuje série slovníku a cvičení, umožňující čtenářům zkontrolovat své porozumění a rozšířit své znalosti polské slovní zásoby a gramatiky.

Ať už se učíte polštinu poprvé nebo se snažíte zlepšit své dovednosti v čtení a poslechu, "Krátké Příběhy v Polštině pro Začátečníky" jsou cenným zdrojem pro každého, kdo má zájem o učení jazyka zábavným a angažujícím způsobem.

Rozdział 1: Przyjazd do miasta

Marta to młoda kobieta, która właśnie przybyła do miasta autobusem ze swojego rodzinnej miejscowości. Ma dwadzieścia pięć lat i jest podekscytowana rozpoczęciem nowego życia w mieście. W dłoni trzyma małą walizkę i torebkę, podczas gdy przechadza się ulicami śródmieścia. Czuje się nieco zagubiona i nie jest pewna, gdzie ma iść, żeby znaleźć swój nowy dom. Nagle mężczyzna podchodzi do niej i uśmiecha się.

– Cześć, nazywam się Paweł. Potrzebujesz pomocy? – zapytał mężczyzna z uśmiechem.

– Cześć! Jestem Marta. Właśnie przyjechałam do miasta i nie wiem, jak znaleźć moje nowe mieszkanie. – odpowiedziała Marta zaskoczona propozycją pomocy.

– Nie martw się. Gdzie mieszkasz? – zapytał Paweł uprzejmie.

– Mieszkam na ulicy Motylkowej 23.

– To niedaleko! Musisz tylko iść dalej wzdłuż tej ulicy i skręcić w prawo w ulicę Błękitną. Ulica Motylkowa jest dwie przecznice dalej. – wyjaśnił Paweł.

– Dziękuję bardzo! – podziękowała Marta z ulgą na twarzy.

– Nie ma za co. Miłego dnia! – pożegnał się Paweł, zanim oddalił się.

Dzięki wskazówkom od Pawła, Marta bez problemu odnalazła drogę do swojego nowego mieszkania. Była podekscytowana rozpoczęciem nowego życia w mieście i planowała je zwiedzać w następnych dniach.

Słownictwo:

młoda – mladá

przybyć – přijít

miasto – město

miejscowość – obec

podekscytowana – nadšená

rozpoczynać – začít

walizka – kufr

torebka – kabelka

podczas – během

pewna – jistá

nowy – nový

dom – dům

uśmiechać się – usmívat se

pomoc – pomoc

zapytać – zeptat se

znaleźć – najít

nie martw się – neboj se

gdzie – kde

ulica – ulice

skręcić – zatočit

w prawo – doprava

nie ma za co – není zač

pożegnać się – rozloučit se

zwiedzać – prohlížet

następne – další

Rozdział 2: Sklep spożywczy

Marta postanowiła udać się do sklepu spożywczego, aby zaopatrzyć lodówkę w swoim nowym mieszkaniu. Kiedy przybyła, zauważyła, że jest czysto i schludnie. Marta podeszła do pracownika, który uzupełniał produkty na półkach.

– Dzień dobry. – przywitała się Marta z uśmiechem. – Gdzie mogę znaleźć warzywa?

– Dzień dobry. – odpowiedział pracownik uprzejmie. – Warzywa znajdują się w sekcji po lewej stronie, na końcu korytarza.

– Dziękuję. – podziękowała Marta przyjaznym tonem. – Macie świeże pomidory i sałatę?

– Tak, właśnie dostaliśmy dzisiaj rano nową dostawę. Są w sekcji ze świeżymi warzywami tuż obok. – wyjaśnił pracownik z entuzjazmem.

Marta podziękowała pracownikowi i skierowała się do sekcji warzyw. Zauważyła wiele świeżych i wysokiej jakości produktów. Wzięła kilka pomidorów i świeżej sałaty, a następnie postanowiła poszukać owoców.

– Potrzebuję także kilka owoców. Gdzie mogę je znaleźć? – zapytała ciekawa Marta.

– Owoce znajdują się w sekcji po prawej stronie, zaraz po produktach w puszkach.

– Doskonale, dziękuję.

Marta odnalazła sekcję ze świeżymi owocami i wzięła kilka jabłek oraz bananów na cały tydzień. W końcu Marta przyniosła swoje zakupy do kasy.

– To będzie 30 złotych razem, proszę. – powiedział pracownik wyraźnym głosem.

– Akceptujecie karty kredytowe? – zainteresowała się Marta.

– Tak, akceptujemy karty kredytowe i debetowe. Możesz również zapłacić gotówką.

– Dobrze, dziękuję bardzo.

Marta zapłaciła za swoje zakupy kartą kredytową i wyszła ze sklepu, gotowa przygotować swój pierwszy posiłek w swoim nowym domu.

Słownictwo:

sklep spożywczy – potraviny

czysto – čisto

schludnie – pěkně

pracownik – zaměstnanec

warzywa – zelenina

uprzejmie – zdvořile

lewa – levá

świeże – čerstvé

pomidory – rajčata

sałata – salát

także – také

następnie – poté

w puszce – v plechovce

jabłka – jablka

banany – banány

w końcu – nakonec

zakupy – nákupy

karta kredytowa – kreditní karta

zapłacić – zaplatit

gotówka – hotovost

przygotować – připravit

Rozdział 3: Spotkanie z sąsiadami

Pewnego dnia Marta otrzymała zaproszenie od sąsiadów do udziału w spotkaniu w budynku. Była podekscytowana możliwością poznania sąsiadów oraz dowiedzenia się więcej o społeczności. Spotkanie miało odbyć się w sobotnie popołudnie w wspólnym pomieszczeniu budynku.

Marta dotarła do wspólnego pomieszczenia i była zaskoczona, widząc tam tyle osób. Podeszła do grupy ludzi, którzy rozmawiali i przedstawiła się.

– Cześć! Nazywam się Piotr. Jesteś nową lokatorką? – zapytał jeden z sąsiadów.

– Tak, dokładnie. Jestem Marta i właśnie przeprowadziłam się tutaj kilka dni temu. – odpowiedziała.

– Witaj w społeczności! Ja jestem Agnieszka. Czy podoba ci się tutaj? – zapytała inna sąsiadka.

– Jestem bardzo podekscytowana, że jestem tutaj. Uwielbiam ten budynek, a lokalizacja jest dla mnie idealna.

– Miło to słyszeć. Cieszysz się miastem do tej pory? – zapytał trzeci sąsiad.

– Tak, dużo zwiedzam.

Spotkanie rozpoczęło się od przemówienia prezesa stowarzyszenia. Mówił o przyszłych wydarzeniach. Omówione zostały różne kwestie związane z modernizacją budynku.

Marta poczuła się swobodnie wśród swoich sąsiadów i była podekscytowana słuchając o planowanych aktywnościach i wydarzeniach. Była szczęśliwa, że wzięła udział w spotkaniu i poczuła więź z lokalną społecznością.

Słownictwo:

sąsiedzi – sousedé

zaproszenie – pozvání

spotkanie – setkání

poznać – poznat

sobota – sobota

popołudnie – odpoledne

wspólne pomieszczenie – společné prostory

lokatorka – nájemnice

przeprowadzić się – přestěhovat se

inna – jiná

lokalizacja – lokalita

słyszeć to – slyšet to

cieszyć się – těšit se

przemówienie – projev

prezes – prezident

stowarzyszenie – sdružení

wydarzenia – události

związane – spojené

więź – pouto

Rozdział 4: Pierwszy dzień w pracy

Marta była podekscytowana swoim pierwszym dniem w nowej firmie. Przybyła do biura wcześnie i spotkała się ze swoim szefem, Dawidem.

– Cześć, Marta! Cieszę się, że jesteś tu wcześnie. – powiedział Dawid – Jesteś gotowa rozpocząć swój pierwszy dzień w pracy?

– Cześć, Dawid. Tak, jestem bardzo podekscytowana.

– Świetnie. Pokażę ci nasze biuro.

Dawid poprowadził Martę po biurze i pokazał, gdzie znajdują się różne działy. Następnie dotarli do stanowiska pracy Marty.

– Tutaj będziesz pracować – powiedział Dawid – Jak widzisz, masz swój komputer i telefon. Teraz przedstawię cię zespołowi.

Dawid przedstawił Martę każdemu z jej nowych kolegów z pracy, włączając w to jej partnera z zespołu, Sebastian.

– Marta, to jest Sebastian, twój partner z zespołu. – powiedział Dawid.

– Cześć, Marta – powiedział Sebastian z uśmiechem – Miło cię poznać.

– Cześć, Sebastian. Jestem podekscytowana pracą z tobą. – odpowiedziała Marta.

– Świetnie! – powiedział Dawid – Teraz możesz zacząć pracę. Sebastian pomoże ci z najważniejszymi dokumentami. Witaj w naszym zespole!

Po spotkaniu z zespołem Marta usiadła przy biurku i zaczęła uczyć się swojej pracy. Sebastian uprzejmie pokazał jej najważniejsze dokumenty. Marta była podekscytowana możliwościami, które ją czekały w nowej pracy. Czuła, że dokonała właściwej decyzji, podejmując pracę w tej firmie. Po skończonej pracy poszła odpocząć do domu.

Słownictwo:

praca – práce

firma – firma

biuro – kancelář

wcześnie – brzy

szef – šéf

gotowa – připravená

pokazać – ukázat

tutaj – tady

komputer – počítač

telefon – telefon

zespół – tým

kolega z pracy – kolega z práce

z tobą – s tebou

dokumenty – dokumenty

witamy – vítáme

biurko – stůl

uczyć się – učit se

możliwości – možnosti

Rozdział 5: Spotkanie z przyjaciółmi

Marta spotkała się ze swoimi przyjaciółmi, by napić się kawy w kawiarni w centrum miasta. Była podekscytowana, ponieważ dawno nie widziała swoich przyjaciół i chciała podzielić się z nimi swoimi nowymi doświadczeniami z pracy.

Po przywitaniu się i zamówieniu kawy, Marta rozpoczęła rozmowę:

– Jak się macie? Długo się nie widzieliśmy!

– Dobrze, dobrze. – odpowiedział jej przyjaciel Michał – Tak, to prawda, już dłuższy czas się nie widzieliśmy.

– Tak, od kiedy zaczęłam pracować w nowej firmie, nie miałam zbyt wiele czasu na wychodzenie.

– A jak ci idzie w pracy? Podoba ci się twoja nowa praca? – zapytała inna przyjaciółka, Anna.

– Tak, bardzo mi się podoba. Pracuję z bardzo miłymi ludźmi i uczę się wielu nowych rzeczy.

– A co robisz w wolnym czasie? Masz jakieś nowe zainteresowania? – powiedział Michał.

– Tak, niedawno zaczęłam uczyć się francuskiego. Bardzo mi się to podoba i chciałabym w przyszłości podróżować do Paryża.

Po chwili rozmowy Marta zauważyła, że jedna z jej przyjaciółek wydaje się zmartwiona.

– Co się dzieje? – zapytała Marta Annę – Wydajesz się zmartwiona.

– Tak, w tej chwili planuję wakacje i nie wiem, dokąd pojechać. Nie mam pomysłów. – odpowiedziała z przygnębieniem.

– Chcesz ze mną przyjechać do Francji?

– Naprawdę? Oczywiście, byłabym szczęśliwa! – krzyknęła Anna z uśmiechem.

Po kawie Marta czuła się szczęśliwa i zrelaksowana. Była zadowolona, że mogła spotkać się ze swoimi przyjaciółmi i podzielić się swoimi doświadczeniami.

Słownictwo:

spotkanie – setkání

przyjaciele – přátelé

napić się kawy – dát si kávu

centrum miasta – centrum města

podzielić się – podělit se

nowe doświadczenia – nové zkušenosti

mili – milí

ludzie – lidé

rzeczy – věci

czas wolny – volný čas

zainteresowania – zájmy

francuski – francouzština

przyszłość – budoucnost

podróżować – cestovat

zmartwiona – znepokojená

wakacje – dovolená

jechać ze mną – pojď se mnou

Rozdział 6: Wizyta w bibliotece

Marta postanowiła odwiedzić bibliotekę, aby znaleźć kilka książek, które pomogą jej pogłębić wiedzę na temat jej nowej pracy. Kiedy dotarła do biblioteki, udała się do sekcji związanej z ekonomią i zaczęła przeszukiwać książki.

Nagle bibliotekarz podeszła do niej i zapytał:

– Cześć, nazywam się Łukasz, potrzebujesz pomocy ze znalezieniem jakiejś książki?

– Tak, szukam książek na temat finansów i ekonomii. – odpowiedziała Marta.

– Ah, mogę ci w tym pomóc. Znalazłaś jakieś interesujące książki?

– Tak, znalazłam kilka książek, ale nie jestem pewna, czy to właściwe tytuły. Czy mógłbyś na nie spojrzeć?

– Oczywiście. Daj mi zobaczyć. Ah, to jest dobra książka o finansach osobistych. A ta inna dotyczy spraw międzynarodowych. Myślę, że będą dla ciebie pomocne.

– Bardzo dziękuję. To dokładnie to, czego szukałam.

Po wybraniu książek Marta usiadła przy stole i zaczęła czytać jedną z nich. Nagle inny mężczyzna podszedł do niej i zapytał:

– Cześć, czytasz tę książkę o finansach osobistych? To naprawdę świetna książka, nie sądzisz?

– Tak, to prawda. Dowiedziałam się już bardzo dużo.

– Mam na imię Grzegorz, swoją drogą. Pracuję w firmie inwestycyjnej. Jeśli w przyszłości będziesz potrzebować jakiejś rady finansowej, śmiało pytaj.

– Dziękuję, Grzegorzu. Będzie mi miło skorzystać z twojej wiedzy w przyszłości.

Marta była wdzięczna za pomoc, jaką otrzymała od Łukasza i Grzegorza. Gdy w końcu odnalazła poszukiwane książki, postanowiła je pożyczyć i przeczytać w zaciszu swojego domu.

Słownictwo:

biblioteka – knihovna

książka – kniha

sekcja – sekce

ekonomia – ekonomie

bibliotekarz – knihovník

nazywam się – jmenuji se

finanse – finance

spojrzeć – podívat se

sprawy – záležitosti

pomocne – užitečné

wybierać – vybírat

stół – stůl

czytać – číst

mężczyzna – muž

inwestycje – investice

rada – rada

finansowy – finanční

wdzięczna – vděčná

Rozdział 7: Dzień na plaży

Marta wstała wcześnie, aby cieszyć się dniem na plaży. Był to słoneczny dzień i idealny moment na opalanie i pływanie w morzu. Założyła kostium kąpielowy, wzięła ręcznik i wyszła z domu, kierując się w stronę plaży. Jednak kiedy tam dotarła, zdała sobie sprawę, że zapomniała okularów przeciwsłonecznych w domu.

– O nie! Zapomniałam okularów przeciwsłonecznych w domu! – skarżyła się Marta.

W tym momencie do niej podszedł chłopak i zaoferował jej parę okularów przeciwsłonecznych.

– Cześć, czy potrzebujesz pomocy? Nazywam się Maciek. – powiedział chłopak.

– Cześć! Jestem Marta. Właśnie przyjechałam na plażę i zdałam sobie sprawę, że zapomniałam okularów przeciwsłonecznych w domu. – odpowiedziała Marta zaskoczona ofertą pomocy.

– Nie martw się, mam parę okularów przeciwsłonecznych, które możesz użyć. – powiedział Maciek z uśmiechem.

– Dziękuję bardzo! – podziękowała Marta z ulgą na twarzy.

– Nie ma sprawy, mam nadzieję, że się przydadzą. – powiedział Maciek, zanim się oddalił.

Marta spędziła dzień na plaży opalając się, czytając książkę i pływając w morzu. Kiedy słońce zaczęło zachodzić, stwierdziła, że pora wracać do domu.

– Co za cudowny dzień! – pomyślała sobie, wracając do domu.

Po spędzeniu dnia na plaży Marta czuła się całkowicie zrelaksowana i odmłodzona. Była także wdzięczna za uprzejmość Maćkowi, który zaoferował jej swoje okulary przeciwsłoneczne i uczynił jej dzień znacznie bardziej komfortowym.

Słownictwo:

plaża – pláž

cieszyć się – těšit se

słoneczny dzień – slunečný den

opalanie – opalování

pływanie – plavání

kostium kąpielowy – plavky

ręcznik – ručník

zapomniała – zapomněla

okulary przeciwsłoneczne – sluneční brýle

w tym momencie – v tuto chvíli

ulga – úleva

spędzić dzień – strávit den

słońce – slunce

cudowny – úžasný

Rozdział 8: Piknik Marty i jej rodziny

Marta i jej rodzina postanowili zorganizować piknik w parku. Mama Marty przygotowała kanapki z szynką i serem, a tata przyniósł jabłka i butelki wody.

Marta była podekscytowana, ponieważ uwielbiała spędzać czas na świeżym powietrzu. Usiedli na kocu i zaczęli jeść.

– To naprawdę pyszne! – powiedziała Marta, przeżuwając kanapkę.

– Cieszę się, że ci smakuje, Marta – odpowiedziała mama z uśmiechem.

Podczas jedzenia Marta zobaczyła chłopca, który bawił się ze swoim psem.

– Jaki piękny pies! – zawołała Marta.

– Tak, jest bardzo psotny – powiedział tata.

Po zjedzeniu, Marta postanowiła, że chce pobawić się z psem.

– Myślisz, że mogę się z nim pobawić, tato? – zapytała Marta.

– Musisz zapytać chłopca. – odpowiedział tata.

Marta podeszła do właściciela psa i zapytała go, czy mogłaby się pobawić z psem. Właściciel się zgodził, i Marta zaczęła się bawić z psem.

– Ten pies naprawdę jest zabawny! – powiedziała Marta, gdy pies skakał i machał ogonem.

Po zabawie Marta i jej rodzina spakowali swoje rzeczy i wrócili do domu, zabierając ze sobą wspomnienia z zabawnego dnia pełnego uśmiechu, pysznego jedzenia i chwilami spędzonymi razem w parku.

Słownictwo:

piknik – piknik

park – park

kanapki – sendviče

szynka – šunka

ser – sýr

woda – voda

świeże powietrze – čerstvý vzduch

usiąść – posadit se

koc – deka

chłopiec – chlapec

bawić się – hrát si

pies – pes

właściciel – majitel

ogon – ocas

spakować – zabalit

wspomnienia – vzpomínky

pyszne – lahodné

Rozdział 9: Urodziny

Marta była bardzo podekscytowana, ponieważ dzisiaj były jej urodziny, a jej najlepsza przyjaciółka, Anna, przygotowała dla niej specjalną niespodziankę. Anna powiedziała jej, że mają się spotkać w pobliskim parku, aby wspólnie świętować.

Kiedy Marta dotarła do parku, zobaczyła, że przyjaciółka przygotowała małą, niespodziewaną imprezę z balonami i pysznym czekoladowym tortem.

– Wszystkiego najlepszego z okazji urodzin, Marto! – powiedziała Anna podekscytowana, wręczając jej prezent.

– Dziękuję bardzo, Anno! Nie mogę uwierzyć, że zrobiłaś to wszystko dla mnie.

Po zjedzeniu kawałka tortu i otwarciu prezentu, Marta postanowiła, że chce pobawić się na placu zabaw.

– Chcesz zagrać w piłkę, Anno? – zapytała Marta.

– Oczywiście! Chodźmy pograć.

Marta i Anna zaczęły grać w piłkę, śmiejąc się i ciesząc się pięknym dniem.

– O, Anno, prawie trafiłaś mnie piłką! – wykrzyknęła Marta zaskoczona.

– Hahaha, przepraszam, Marto. – odpowiedziała Anna, śmiejąc się – Postaram się mieć lepszy cel!

Po grze Marta i Anna usiadły na trawie, by odpocząć i porozmawiać o tym, jak cudowny był ten dzień. Zdały sobie sprawę, jak szczęśliwe są, że są przyjaciółkami i że mogą razem świętować. Marta zdmuchnęła świeczki na swoim torcie jeszcze raz, życząc sobie, żeby jej przyjaźń z Anną była zawsze silna i pełna radości w przyszłości.

Słownictwo:

urodziny – narozeniny

najlepsza – nejlepší

niespodzianka – překvapení

świętować – oslavovat

czekoladowy – čokoládový

tort – dort

prezent – dárek

piłka – míč

prawie – skoro

trafiłaś mnie – trefila jsi mě

przepraszam – omlouvám se

postaram się – pokusím se

cel – cíl

odpocząć – odpočinout si

porozmawiać – popovídat si

razem – spolu

jeszcze raz – znovu

zawsze – vždy

silna – silná

Rozdział 10: Wizyta w zoo

Marta i jej rodzina postanowili wybrać się na wycieczkę do zoo. Marta była podekscytowana, ponieważ nigdy wcześniej tam nie była, a uwielbiała zwierzęta.

Kiedy przyjechali na miejsce, kupili bilety wstępu i zaczęli zwiedzać zoo. Zobaczyli lwy, żyrafy, małpy i wiele innych interesujących zwierząt.

Marta była szczególnie podekscytowana widokiem pingwinów. Uwielbiała patrzeć jak niezdarnie chodzą po lodzie.

Podczas oglądania pingwinów, Marta zauważyła, że jeden z nich wydaje się być smutny.

– Tata, dlaczego ten pingwin jest sam? – zapytała Marta, wskazując na samotnego pingwina.

– Czasami pingwiny oddzielają się od grupy z różnych powodów, ale nie martw się, to normalne – odpowiedział jej tata.

Marta postanowiła, że chce zrobić coś, żeby rozweselić samotnego pingwina. Przypomniała sobie, że ma w swojej torbie batonik czekoladowy i pomyślała, że może dać go pingwinowi.

– Tata, myślisz, że pingwin będzie chciał to zjeść? – zapytała Marta, wyciągając batonik czekoladowy z torby.

– Nie jestem pewien, ale możesz spróbować – odpowiedział tata.

Marta podeszła do pingwina i podała mu batonika czekoladowego. Pingwin wydawał się być ciekawski i podszedł, żeby go powąchać. Po chwili pingwin wziął batonika czekoladowego w swój dzióbek i zaczął go jeść.

– Zobacz, tato, smakuje mu! – wykrzyknęła podekscytowana Marta.

Po spędzeniu całego dnia w zoo, Marta i jej rodzina wrócili do domu zmęczeni, ale szczęśliwi. Spędzili wspaniały dzień, obserwując niesamowite zwierzęta i tworząc wspólne wspomnienia.

Słownictwo:

zoo – zoo

wycieczka – výlet

nigdy – nikdy

zwierzęta – zvířata

wstęp – vstup

lew – lev

żyrafa – žirafa

małpa – opice

pingwin – tučňák

lód – led

smutny – smutný

sam – sám

oddzielają się – oddělují se

batonik czekoladowy – čokoládový tyčinka

ciekawski – zvědavý

powąchać – očichat

dzióbek – zobák

jeść – jíst

wrócili – vrátili se

zmęczeni – unavení

szczęśliwi – šťastní

Rozdział 11: Lekcja jogi

Marta chciała znaleźć sposób na relaks po stresującym dniu pracy, dlatego zdecydowała się wziąć udział w lekcji jogi w swojej lokalnej siłowni. Kiedy przybyła, dołączyła do grupy osób, które już wykonywały rozciąganie i medytację.

Marta uznała lekcję jogi za bardzo relaksującą i zaczęła się nią cieszyć. Ale kiedy instruktor poprosił ją o wykonanie skomplikowanej pozycji, poczuła się trochę niepewnie.

– Nie jestem pewna, czy dam radę. – powiedziała Marta.

– Nie martw się, Marta, spróbuj. Jeśli ci się nie uda, po prostu zrób tak jak potrafisz. – odpowiedział instruktor z uśmiechem.

Marta się zaangażowała i ostatecznie udało jej się wykonać pozycję. Poczuła się bardzo dumna i była wdzięczna za cierpliwość instruktora.

Po lekcji Marta podeszła do instruktora i zapytała, czy istnieje sposób, aby ćwiczyć jogę w domu.

– Tak, jest wiele filmów z jogą dostępnych online, które może oglądać w domu. Możesz także kupić matę do jogi i ćwiczyć w swoim salonie.

– Dziękuję za radę. Na pewno spróbuję. – powiedziała Marta, żegnając się z instruktorem.

Gdy dotarła do domu, Marta poszukała filmów z jogą online i zaczęła je oglądać. Odkryła, że praktykowanie jogi w domu jest bardzo wygodne i relaksujące.

Słownictwo:

lekcja – lekce

joga – jóga

siłownia – posilovna

rozciąganie – protahování

medytacja – meditace

skomplikowana – komplikovaná

pozycja – pozice

niepewnie – nejistě

spróbuj – zkuste

nie uda – nepodaří se

dumna – hrdá

cierpliwość – trpělivost

podeszła – přistoupila

instruktor – instruktor

sposób – způsob

ćwiczyć – cvičit

filmy – filmy

online – online

mata – podložka

salon – obývací pokoj

wygodne – pohodlné

relaksujące – relaxační

Rozdział 12: Przygoda w muzeum

Pewnego dnia Marta postanowiła odwiedzić muzeum w swoim mieście, żeby odkryć ciekawe rzeczy. Założyła wygodne ubrania, wzięła plecak i z ekscytacją udała się do muzeum.

Kiedy dotarła na miejsce, Marta była zdumiona ogromnym wejściem i pięknymi rzeźbami, które zdobiły to miejsce. Weszła do muzeum i podeszła do punktu informacyjnego.

– Cześć! Czy mogłabym dostać informacje o wystawach? – zapytała Marta z entuzjazmem.

– Cześć! Oczywiście, mamy różne sale z wystawami sztuki, historii i nauki. Co chciałabyś zobaczyć najpierw? – odpowiedział pracownik serdecznie.

– Chciałabym zacząć od sali ze sztuką. Gdzie mogę ją znaleźć? – zapytała Marta ciekawie.

– Sala ze sztuką znajduje się na drugim piętrze. Wystarczy wejść po schodach i skręcić w lewo. – wyjaśnił pracownik.

– Dziękuję za informacje! – podziękowała Marta z uśmiechem.

Marta weszła na górę i zanurzyła się w sali ze sztuką. Zatrzymała się przed jednym z obrazów i zaczęła go podziwiać. Wtedy podszedł do niej chłopak o imieniu Mikołaj.

– Cześć, podoba ci się ten obraz? – zapytał Mikołaj ciekawy.

– Cześć! Tak, bardzo mi się podoba. Kolory są przepiękne – odpowiedziała Marta podekscytowana.

– Wiesz co? Moja mama jest artystką i nauczyła mnie wiele o malarstwie. Mogę ci więcej powiedzieć o tej pracy, jeśli chcesz – zaproponował Mikołaj uprzejmie.

– Oczywiście! Bardzo chętnie posłucham więcej – powiedziała Marta z entuzjazmem.

Mikołaj zaczął tłumaczyć szczegóły obrazu i podzielił się kilkoma ciekawostkami o artyście. Marta była oczarowana nowymi informacjami. Na koniec podziękowała Mikołajowi za pomoc i kontynuowała swoją przygodę w muzeum.

Słownictwo:

przygoda – dobrodružství

muzeum – muzeum

wygodne ubrania – pohodlné oblečení

plecak – batoh

ekscytacja – vzrušení

miejsce – místo

punkt informacyjny – informační pult

sala ze sztuką – galerie umění

schody – schody

obraz – obraz

podziwiać – obdivovat

kolory – barvy

szczegóły – detaily

ciekawostki – zajímavosti

artysta – umělec

oczarowana – okouzlená

Rozdział 13: Opieka nad zwierzakiem przyjaciela

Marta była odpowiedzialną dziewczyną i miłośniczką zwierząt. Pewnego dnia, jej przyjaciel Daniel poprosił ją o bardzo ważną przysługę.

– Cześć, Marta! Muszę wyjechać z miasta i potrzebuję, żebyś zaopiekowała się moim kotem, Mruczkiem. Czy mogłabyś to zrobić? – zapytał Daniel.

– Cześć, Daniel! Oczywiście, chętnie się zajmę Mruczkiem. Wiem, jak ważny jest dla ciebie – odpowiedziała Marta.

Marta przybyła do domu Daniela i zastała Mruczka, który czekał na nią w salonie. Po upewnieniu się, że ma jedzenie, wodę i zabawki, Marta opiekowała się nim przez kilka dni. Zabrała go także do parku, gdzie mógł bawić się z innymi kotami i cieszyć się świeżym powietrzem. Marta i Mruczek stali się przyjaciółmi i świetnie się razem bawili.

Pod koniec tygodnia Daniel wrócił i Marta opowiedziała mu o wszystkich przygodach, jakie miała z Mruczkiem.

– Dziękuję, Marta! Cieszę się, bo wiedziałem, że Mruczek jest w dobrych rękach. Jesteś naprawdę wspaniałą przyjaciółką – podziękował Daniel.

– Nie ma sprawy, Daniel. Opieka nad Mruczkiem była prawdziwą przyjemnością. Zawsze będę tu, aby ci pomóc, kiedy będziesz potrzebował.

Marta pożegnała się z Mruczkiem z czułością, wiedząc, że podczas spędzonego razem czasu udało im się stworzyć wyjątkową więź. Była szczęśliwa, że mogła pomóc swojemu przyjacielowi i zadbać o jego ukochane zwierzątko.

Słownictwo:

zwierzak – mazlíček

dziewczyna – dívka

miłośniczka – milovnice

wyjechać – odjet

upewnić się – ujistit se

opiekować się – starat se o

jedzenie – jídlo

zabawki – hračky

kilka dni – pár dní

tydzień – týden

powietrze – vzduch

więź – pouto

zadbać – postarat se

ukochane – milované

Rozdział 14: Pierwszy lot

Marta była podekscytowana, ponieważ miała odbyć swoją pierwszą podróż samolotem. Oszczędzała pieniądze przez długi czas, i w końcu nadszedł dzień, w którym miała polecieć zagranicę. Znalazła się na lotnisku, z walizką i paszportem w ręce.

– Dzień dobry, w czym mogę pomóc? – zapytała stewardesa.

– Cześć, mam lot do Londynu. Gdzie powinnam się zgłosić?

Stewardesa przekazała jej informacje o bramce, więc Marta tam poszła. Jak tylko wsiadła na pokład samolotu, odnalazła swoje miejsce i usiadła obok przyjaznej kobiety.

– Cześć, to jest miejsce 15B? – zapytała Marta podekscytowana.

– Tak, dokładnie. To twój pierwszy lot? – odpowiedziała kobieta z uśmiechem.

– Tak, to mój pierwszy lot! – odpowiedziała Marta podekscytowana – Jestem taka podekscytowana, ale też trochę zdenerwowana.

– Nie martw się, loty są bardzo bezpieczne. Szybko się przyzwyczaisz. – powiedziała kobieta, uspokajając ją.

Samolot wystartował, a Marta spoglądała przez okno, obserwując jak krajobraz stawał się coraz mniejszy, w miarę jak zyskiwali wysokość.

– Patrz, lecimy nad chmurami! – wykrzyknęła Marta podekscytowana.

– Tak, to piękne, prawda? Ciesz się podróżą. – odpowiedziała kobieta, uśmiechając się.

Podczas lotu Marta uważnie słuchała instrukcji personelu pokładowego i stosowała się do wskazówek dotyczących zapięcia pasów bezpieczeństwa i wyłączenia urządzeń elektronicznych.

W końcu samolot wylądował na lotnisku w Londynie, a Marta pożegnała się z kobietą, z którą dzieliła lot.

Słownictwo:

pierwszy lot – první let

podróż – cesta

samolot – letadlo

polecieć – letět

zagranica – zahraničí

lotnisko – letiště

paszport – pas

stewardesa – letuška

Londyn – Londýn

bramka – brána

pokład – paluba

miejsce – sedadlo

zdenerwowana – nervózní

przyzwyczaisz się – zvyknete si

wystartować – vzletět

okno – okno

krajobraz – krajina

chmury – mraky

pasy bezpieczeństwa – bezpečnostní pásy

urządzenia elektroniczne – elektronická zařízení

wylądować – přistát

Rozdział 15: Festiwal muzyczny

Marta była podekscytowana, ponieważ w ten weekend odbywał się festiwal muzyczny w jej mieście. Słyszała o tym wydarzeniu przez wiele miesięcy i nie mogła się doczekać. Poszła do centrum miasta ze swoim przyjacielem Michałem, gdzie odbywał się festiwal.

Kiedy dotarli na miejsce festiwalu, byli zaskoczeni festiwalowym klimatem, który tam panował. Muzyka rozbrzmiewała w każdym kącie, a energia była zaraźliwa.

– Spójrz, jest główna scena! Chodźmy tam najpierw – wskazała Marta.

– Tak, oczywiście! Chcę zobaczyć tam rockowy zespół, który tak bardzo lubię – powiedział Michał z uśmiechem.

Gdy stanęli przed sceną, muzyka zaczęła grać, a scena rozbłysła jaskrawymi światłami. Marta i Michał tańczyli, śpiewali i oddawali się energii zespołu.

– To jest moja ulubiona piosenka! – krzyknęła Marta.

Po ekscytującym koncercie, odkryli scenę z muzyką latynoamerykańską, na której zespół grał salsę.

– Bardzo lubię muzykę latynoamerykańską! Chcesz ze mną zatańczyć? – zapytała Marta.

– Oczywiście, zatańczmy razem do rytmu salsy! – odpowiedział Michał.

Tańczyli w rytmie salsy i bawili się razem z innymi uczestnikami, którzy także cieszyli się z występu.

– To był wspaniały dzień! Naprawdę cieszę się, że przyszłam na festiwal. – skomentowała Marta z radością.

Po zakończeniu festiwalu Marta czuła się bardzo szczęśliwa i powiedziała, że to był fantastyczny dzień. Już nie mogła się doczekać, aby wrócić na festiwal w przyszłym roku.

Słownictwo:

festiwal – festival

muzyka – hudba

klimat – atmosféra

energia – energie

rozbrzmiewać – znít

scena – scéna

zespół – kapela

światła – světla

tańczyć – tančit

śpiewać – zpívat

piosenka – píseň

muzyka latynoamerykańska – latinskoamerická hudba

salsa – salsa

bawić się – bavit se

cieszyć się – těšit se

uczestnicy – účastníci

występ – vystoupení

wrócić – vrátit se

przyszły rok – příští rok

Rozdział 16: Przejażdżka rowerowa

Marta była zachwycona, ponieważ była piękna słoneczna pogoda i postanowiła wybrać się na przejażdżkę rowerową. Założyła kask i wzięła swój rower z garażu.

Pedałując ulicami swojego miasta, zobaczyła swoją przyjaciółkę Zofię, która również jechała na rowerze.

– Cześć Zofia! Co tu robisz? – wykrzyknęła podekscytowana Marta.

– Cześć Marta! – odpowiedziała zaskoczona – Jadę do parku. Chciałabyś dołączyć?

– Oczywiście! Byłoby świetnie.

Marta i Zofia wsiadły na swoje rowery i zaczęły wspólnie pedałować wzdłuż ścieżki rowerowej. Cieszyły się wiatrem na twarzy i rozmawiały.

Dotarły do parku i zobaczyły jezioro z pływającymi kaczkami. Zdecydowały się zatrzymać i przez chwilę je obserwować.

– Spójrz, te kaczuszki są takie urocze. – wskazała jezioro – Uwielbiam przyrodę, którą tutaj znajdujemy.

– Tak, to cudowne. – odpowiedziała podekscytowana – Czuję się tak spokojnie, otoczona tą piękną naturą.

W końcu Marta i Zofia wróciły do punktu startowego, gdzie zostawiły swoje rowery. Zeszły z nich i usiadły na ławce, aby odpocząć.

– Dziękuję, że zabrałaś mnie na tę przejażdżkę rowerową, Zofio. – powiedziała z radością Marta – Było wspaniale.

– Nie ma sprawy, Marto. – odpowiedziała Zofia uśmiechając się – Cieszę się, że Ci się podobało. Powinniśmy zdecydowanie robić to częściej.

Z uśmiechem na twarzy i sercem pełnym radości, Marta i Zofia się pożegnały i postanowiły planować więcej wspólnych przygód rowerowych.

Słownictwo:

przejażdżka rowerowa – jízda na kole

kask – helma

garaż – garáž

pedałując – šlapajíc

ścieżka rowerowa – cyklostezka

wiatr – vítr

jezioro – jezero

zatrzymać się – zastavit se

obserwować – pozorovat

kaczuszki – kachny

przyroda – příroda

spokojnie – klidně

otoczona – obklopena

natura – venkov

zabrałaś mnie – vzala jsi mě

powinniśmy – měli bychom

planować – plánovat

Rozdział 17: Przygotowanie wyjątkowego posiłku

Nadszedł dzień, w którym Marta chciała zaskoczyć swoją rodzinę wyjątkowym posiłkiem. Była podekscytowana i zdeterminowana, by przygotować coś pysznego. Założyła fartuch i udała się do kuchni.

– Cześć mamo, cześć tato! – wykrzyknęła Marta wchodząc do domu – Dziś chcę przygotować dla was wyjątkowy posiłek. Chcielibyście spróbować czegoś innego?

– Oczywiście, córko! – odpowiedział tato – Co masz na myśli?

– Chcę zrobić makaron z sosem pomidorowym domowej roboty i pulpety. Pasuje wam? – zapytała Marta.

– Brzmi przepysznie! – odpowiedziała mama z entuzjazmem – Potrzebujesz pomocy?

– Byłoby świetnie, gdybyś pomogła mi z sosem pomidorowym, a ja zrobię pulpeciki.

Marta i jej mama udały się do kuchni. Marta obierała pomidory, podczas gdy jej mama podgrzewała patelnię z oliwą z oliwek. Po wymieszaniu składników zgodnie z przepisem, Marta uformowała małe kuleczki i ułożyła je na blaszce do pieczenia. Po chwili sos pomidorowy był gotowy, a pulpety rumieniły się w piekarniku.

– Posiłek jest gotowy! – wykrzyknęła Marta – Zapraszam do stołu.

Rodzina rozkoszowała się pysznym posiłkiem, który Marta przygotowała z miłością.

– Marta, ten posiłek jest niesamowity. – powiedział tato z uśmiechem – Jesteś świetną kucharką!

– Jestem bardzo dumna z ciebie, córko. – dodała mama z zadowoleniem.

– Dziękuję, mamusiu, tatusiu. – odpowiedziała Marta z radością – Cieszę się, że wam smakowało.

Z uśmiechem na twarzach, rodzina cieszyła się wyjątkowym momentem, dzieląc pyszny posiłek i miłość, którą włożyli w jego przygotowanie.

Słownictwo:

zaskoczyć – překvapit

pyszne – lahodné

fartuch – zástěra

myśl – myšlenka

sos – omáčka

domowej roboty – domácí

pulpety – kuličky (masové kuličky)

obierała – loupaná

podgrzewała – ohřívala

patelnia – pánev

oliwa z oliwek – olivový olej

wymieszać – smíchat

przepis – recept

kuleczki – kuličky

pieczenie – pečení

rumieniły się – zčervenaly se

piekarnik – trouba

niesamowity – úžasný

kucharka – kuchařka

smakowało – chutnalo

miłość – láska

Rozdział 18: Wycieczka w góry

Marta i jej przyjaciele Piotr i Laura zdecydowali się na emocjonującą wycieczkę w góry. Spotkali się wcześniej w umówionym punkcie z plecakami pełnymi wody i przekąsek. Rozpoczęli wędrówkę szlakiem, podążając za oznaczeniami.

– Wow, widoki tutaj na górze są niesamowite. – wykrzyknęła Marta podekscytowana.

– Rzeczywiście, każdy krok, który podejmujemy, jest tego warty. – odpowiedział Piotr.

Kontynuowali wspinaczkę, ciesząc się pięknym krajobrazem i robiąc przerwę przy strumieniu. Kiedy szli wzdłuż szlaku, Piotr wskazał na pewne drzewo i wykrzyknął:

– Spójrzcie na to gigantyczne drzewo! Wydaje się jakby pochodziło z bajki.

Marta i Laura zatrzymały się, by podziwiać majestatyczne drzewo i wyraziły swój zachwyt uśmiechem na twarzy. Następnie kontynuowali wspinaczkę, zmierzając na trudniejsze tereny. W miarę jak szli, teren stawał się coraz bardziej stromy i wymagający.

– Nie poddawajmy się! Już prawie jesteśmy na szczycie. – zachęcała Marta grupę.

W końcu dotarli na szczyt i byli pod wrażeniem widoku.

– To niesamowite miejsce! – powiedziała z podziwem Laura.

– To było tego warte każdego wysiłku!– wykrzyknął emocjonalnie Piotr.

Spędzili trochę czasu ciesząc się chwilą, wchłaniając spokój i wielkość otaczającej ich przyrody.

Odpoczęli chwilę, a następnie zaczęli schodzić, zabierając ze sobą wyjątkowe wspomnienia.

– To była niesamowita przygoda. – podziękowała Marta – Dziękuję za ten dzień.

– Przyroda dodaje nam energii. – odpowiedział z wdzięcznością Piotr – Wspaniale, że mogliśmy to razem przeżyć.

Z poczuciem satysfakcji i radości wrócili do domu, wiedząc, że przeżyli wyjątkową przygodę i z niecierpliwością oczekiwali na przyszłe, wspólne wycieczki.

Słownictwo:

góry – hory

przekąski – svačiny

szlak – stezka

oznaczenia – značky

widoki – výhledy

tutaj na górze – tady nahoře

krok – krok

warty – stojí za to

wspinaczka – lezení

strumień – potok

drzewo – strom

gigantyczne – gigantické

bajka – pohádka

majestatyczne – majestátní

trudniejsze – obtížnější

tereny – terény

w miarę jak – jak

stromy – strmé

wymagający – náročný

szczyt – vrchol

spokój – klid

schodzić – sestupovat

Rozdział 19: Nauka salsy

Marta postanowiła nauczyć się tańczyć salsę, a dzisiaj miała swoją pierwszą lekcję. Przybyła wcześnie do szkoły tańca i spotkała swoją przyjaciółkę Laurę.

– Cześć Laura! – wykrzyknęła podekscytowana Marta – Jesteś gotowa, żeby nauczyć się tańczyć salsę?

– Cześć Marta! – odpowiedziała Laura – Tak, jestem podekscytowana, ale też trochę zdenerwowana. Nigdy wcześniej nie tańczyłam salsy.

– Nie martw się, jestem pewna, że poradzimy sobie świetnie!

Po chwili do sali wszedł instruktor salsy, Karol.

– Cześć dziewczyny! – przywitał się z entuzjazmem Karol – Witajcie na lekcji salsy.

Lekcja rozpoczęła się od rozgrzewki, żeby przygotować mięśnie. Następnie Karol nauczył je podstawowych kroków salsy.

– Zacznijcie od prawej stopy, stawiając krok na bok. – wyjaśnił Karol – Potem oderwijcie lewą stopę od ziemi i wróćcie prawą stopą na jej miejsce. Powtórzcie to samo z drugiej strony.

Po praktyce podstawowych kroków, Karol pokazał im trudniejsze ruchy.

– Teraz będziemy robić obroty i figury. – powiedział Karol – Słuchajcie moich wskazówek i podążajcie za rytmem.

Marta i Laura starały się śledzić wskazówki Karola. Stopniowo, w miarę ćwiczeń, czuły się bardziej pewne i zaczęły rozumieć rytm salsy.

Pod koniec lekcji, Karol pochwalił Martę i Laurę za ich postępy.

– Naprawdę świetnie wam się udało dziewczyny! Ćwiczcie dalej, a wkrótce staniecie się wspaniałymi tancerkami salsy.

– Dzięki, Karol! – podziękowała Marta – Do zobaczenia na kolejnej lekcji.

Z dźwiękami muzyki salsy rozbrzmiewającymi w centrum tańca, Marta i Laura opuściły salę pełne energii i radości, gotowe kontynuować swoją przygodę w świecie tańca.

Słownictwo:

nauka – učení

szkoła – škola

pewna – určitá

sala – sál

rozgrzewka – rozehřátí

mięśnie – svaly

nauczył – naučil

podstawowy – základní

prawa – pravá

bok – strana

oderwijcie – zvedněte

powtórzcie – opakujte

obroty – otáčky

figury – figury

słuchajcie – poslouchejte

rozumieć – rozumět

pochwalił – chválil

postęp – pokrok

świat – svět

Rozdział 20: Deszczowy dzień w domu

Był deszczowy dzień, a Marta była w domu, nie mając nic do roboty. Była znudzona i pragnęła, aby słońce świeciło, żeby mogła wyjść na dwór i pobawić się na zewnątrz. Nagle zadzwonił telefon.

– Cześć! – odezwała się Marta podekscytowana, odbierając telefon.

– Cześć Marta! – odpowiedziała jej przyjaciółka Alicja – Co robisz w ten deszczowy dzień?

– Niewiele, nudzę się w domu. – powiedziała Marta z rozczarowaniem.

– Nie martw się! Mam pomysł. Co powiesz na popołudnie pełne gier u mnie w domu? – zaproponowała Alicja z entuzjazmem.

– Brzmi wspaniale! Bardzo bym chciała. – wykrzyknęła Marta podekscytowana myślą o zabawie z przyjaciółką.

Marta szybko się przygotowała i udała się do domu Alicji. Po przybyciu obie dziewczyny usiadły w salonie i zaczęły grać w swoją ulubioną grę planszową.

– Spójrz Marta! Jestem zwyciężczynią! – wykrzyknęła Alicja podekscytowana po wygraniu jednej rundy.

– Gratulacje, Alicja! Jesteś najlepsza w tej grze. – powiedziała Marta, śmiejąc się.

Po kilku rundach gier dziewczyny postanowiły zrobić przerwę i zjeść przekąskę.

– Mam herbatniki i sok. Chcesz coś, Marta? – zapytała uprzejmie Alicja.

– Tak, proszę! Uwielbiam herbatniki. – odpowiedziała Marta podekscytowana.

Podczas gdy delektowały się podwieczorkiem, słyszały dźwięk deszczu uderzającego w okna.

– Chociaż jesteśmy w domu, świetnie się bawimy! – powiedziała Marta z uśmiechem.

– Dokładnie! Czasami deszczowe dni mogą być fajne, jeśli spędzamy je razem. – powiedziała Alicja z radością.

Spędziły resztę popołudnia śmiejąc się, grając i ciesząc się nawzajem towarzystwem. Choć słońce nie wychyliło się zza chmur, Marta i Alicja przekształciły deszczowy dzień w dzień pełen zabawy i śmiechu w domowym zaciszu.

Słownictwo:

deszczowy – deštivý

nic – nic

znudzona – znuděná

świecić – svítit

na zewnątrz – venku

rozczarowanie – zklamání

gry – hry

zaproponować – navrhnout

obie – obě

zwyciężczyni – vítězka

runda – kolo

gratulacje – gratulace

przerwa – přestávka

herbatniki – sušenky

sok – džus

podwieczorek – svačina

uderzając – úder

chociaż – ačkoliv

towarzystwo – společnost

zacisze – klid

Ćwiczenia do rozdziałów

Rozdział 1: Przyjazd do miasta

Odpowiedz na poniższe pytania:

1. Jak nazywa się główna bohaterka Rozdziału 1?

2. Ile lat ma Marta?

3. Jak się czuje Marta, przyjeżdżając do miasta?

4. Co Marta zabiera ze sobą, podczas gdy spaceruje ulicami miasta?

5. Kim jest Paweł i jak pomaga Marcie?

6. Na jakiej ulicy mieszka Marta?

Rozdział 2: Sklep spożywczy

Uzupełnij poniższe zdania odpowiednimi słowami:

1. Marta postanowiła pójść do najbliższego ____________ spożywczego.

2. Sklep był ____________ i schludny.

3. Marta kupiła ____________ i świeżą sałatę w dziale warzyw.

4. ____________ znajdowały się po prawej stronie przy produktach w puszkach.

5. Marta kupiła jabłka i ____________ w dziale owoców.

6. Marta zapłaciła za swoje zakupy swoją ____________ kredytową.

Rozdział 3: Spotkanie z sąsiadami

Wskaż, które z poniższych zdań jest prawdziwe, a które fałszywe:

1. Marta otrzymała zaproszenie na spotkanie z sąsiadami w jej nowym budynku.

2. Spotkanie odbyło się w parku.

3. Spotkanie zaplanowano na niedzielę rano.

4. Prezes stowarzyszenia mówił o przyszłych wydarzeniach.

5. Podczas spotkania Marta nie czuła się komfortowo wśród sąsiadów.

6. Marta była niezadowolona z lokalizacji budynku.

Rozdział 4: Pierwszy dzień w pracy

Odpowiedz na następujące pytania:

1. Dlaczego Marta była entuzjastyczna?

a) Ponieważ miała rozpocząć nową pracę.

b) Ponieważ właśnie zakończyła poprzednią pracę.

c) Ponieważ jechała na wakacje.

2. Kto powitał Martę w biurze?

a) Jej przyjaciel.

b) Jej kolega z zespołu.

c) Jej szef.

3. Co Dawid pokazał Marcie w biurze?

a) Różne działy.

b) Ważne dokumenty.

c) Kawiarnię.

4. Kto był kolegą z zespołu Marty?

a) Dawid.

b) Sebastian.

c) Klient.

5. Jakie zadanie dał na końcu Dawid Marcie?

a) Przedstawienie się zespołowi.

b) Aby rozpoczęła pracę.

c) Aby pokazała ważne dokumenty.

6. Co Marta zrobiła po skończonej pracy?

a) Spotkała się ze swoim szefem, aby omówić swoje wyniki.

b) Zawarła nowe przyjaźnie w biurze.

c) Poszła do domu odpocząć.

Rozdział 5: Spotkanie z przyjaciółmi

Wskaż, które z poniższych zdań jest prawdziwe, a które fałszywe:

1. Marta widziała się ostatnio z przyjaciółmi.

2. Marta uczy się niemieckiego.

3. Marta nie ma czasu na wyjścia ze względu na pracę.

4. Michał interesuje się nauką języka francuskiego.

5. Alicję martwił brak pomysłów na wakacje.

6. Marta zaprosiła Alicję do wspólnego wyjazdu do Francji.

Rozdział 6: Wizyta w bibliotece

Odpowiedz na następujące pytania:

1. Dlaczego Marta zdecydowała się odwiedzić bibliotekę?

a) Chciała znaleźć książki o finansach i ekonomii.

b) Planowała spotkanie z Łukaszem i Grzegorzem.

c) Dla zabicia czasu.

2. Kto pomógł Marcie znaleźć odpowiednie książki?

a) Grzegorz.

b) Bibliotekarz Łukasz.

c) Marta sama znalazła książki.

3. Jaką książkę Łukasz polecił Marcie?

a) Książkę o naukach społecznych.

b) Książkę o finansach osobistych.

c) Książkę o sztuce.

4. Czym zajmuje się Grzegorz?

a) jest bibliotekarzem.

b) jest agentem nieruchomości.

c) pracuje w firmie inwestycyjnej.

5. Co Grzegorz zaproponował Marcie?

a) Doradztwo finansowe.

b) Kolację.

c) Bilet lotniczy.

6. Co Marta zrobiła po wizycie w bibliotece?

a) Poszła na kawę.

b) Wróciła do domu, żeby czytać książki.

c) Spotkała swoich przyjaciół w parku.

Rozdział 7: Dzień na plaży

Odpowiedz na pytania:

1. Czego zapomniała Marta z domu?

2. Co Maciek zaoferował Marcie?

3. Jak Marta zareagowała na propozycję pomocy?

4. Co powiedział Maciek, gdy Marta mu podziękowała?

5. Co Marta robiła podczas dnia na plaży?

6. Jak Marta czuła się po dniu spędzonym na plaży?

Rozdział 8: Piknik Marty i jej rodziny

Uzupełnij poniższe zdania właściwym słowem:

1. Marta i jej rodzina postanowili zorganizować ___________ w parku.

2. Mama Marty zrobiła ___________ z szynką i serem.

3. Tata Marty przyniósł ___________ i butelki wody.

4. Marta i jej rodzice usiedli na ___________ i zaczęli jeść.

5. Marta widziała chłopca bawiącego się z swoim ___________.

6. Po chwili zabawy Marta i jej rodzina postanowili zebrać wszystko i wrócić do ___________.

Rozdział 9: Urodziny

Odpowiedz na poniższe pytania:

1. Dlaczego Marta była podekscytowana na początku historii?

2. Jaką wyjątkową niespodziankę przygotowała Anna dla Marty?

3. Gdzie Marta i Anna spotkały się, aby wspólnie świętować?

4. Co Marta i Anna zrobiły po zjedzeniu ciasta i otwarciu prezentów?

5. Co wydarzyło się podczas gry w piłkę?

6. Jak Marta i Anna czuły się pod koniec swoich urodzin?

Rozdział 10: Wizyta w zoo

Wskaż, które z poniższych zdań jest prawdziwe, a które fałszywe:

1. Marta wraz z rodziną zdecydowała się odwiedzić zoo.

2. Marta była zachwycona widokiem słoni w zoo.

3. Marta i jej rodzina widziały w zoo wiele różnych zwierząt.

4. Marta podarowała tabliczkę czekolady pingwinowi w zoo.

5. Pingwin odmówił przyjęcia tabliczki czekolady, którą zaproponowała mu Marta.

6. Na koniec dnia Marta i jej rodzina byli szczęśliwi, ale zmęczeni.

Rozdział 11: Lekcja jogi

Odpowiedz na pytania:

1. Czego chciała Marta po stresującym dniu w pracy?

2. Gdzie Marta zdecydowała się na zajęcia jogi?

3. Jak czuła się Marta, gdy instruktor poprosił ją o wykonanie skomplikowanej pozycji?

4. Co instruktor zaproponował Marcie?

5. Co Marta zrobiła po powrocie do domu?

6. Co odkryła Marta ćwicząc jogę w domu?

Rozdział 12: Przygoda w muzeum

Wskaż, które z poniższych zdań jest prawdziwe, a które fałszywe:

1. Marta postanowiła odwiedzić zoo.

2. Marta miała plecak.

3. Pracownik muzeum udzielił jej informacji o wystawach.

4. Marta chciała zacząć od zwiedzania sali naukowej.

5. Sala ze sztuką znajduje się na pierwszym piętrze.

6. Mikołaj jest synem artystki.

Rozdział 13: Opieka nad zwierzakiem przyjaciela

Przeczytaj poniższy fragment tekstu i uzupełnij zdania odpowiednią formą czasowników w czasie przeszłym:

Marta ______________ (przybyć) do domu Daniela i ______________ (zastać) Mruczka, który czekał na nią w salonie. Po upewnieniu się, że ______________ (mieć) jedzenie, wodę i zabawki, Marta ______________ (opiekować się) nim przez kilka dni. ______________ (zabrać) go także do parku, gdzie ______________ (móc) bawić się z innymi kotami i cieszyć się świeżym powietrzem. Marta i Mruczek ______________ (stać się) przyjaciółmi i świetnie się razem bawili.

Rozdział 14: Pierwszy lot

Przeczytaj każde zdanie i wybierz właściwą opcję (A, B lub C):

1. Marta ________ swój pierwszy lot samolotem.

a) zapytała

b) odbyła

c) oszczędzał

2. Stewardesa ________ informacje o bramce wejścia na pokład.

a) przekazała

b) pokaże

c) pokazać

3. Marta _______ obok sympatycznej kobiety w samolocie.

a) siadać

b) usiadł

c) usiadła

4. Samolot _______ i krajobraz _______ coraz mniejszy.

a) wystartował / stał się

b) startuje / staje się

c) wystartowała / stała się

5. Podczas lotu Marta _______ dokładnie instrukcje.

a) słuchaj

b) słuchała

c) słuchałem

6. Wreszcie samolot _______ na londyńskim lotnisku.

a) wylądował

b) wyląduj

c) wyląduje

Rozdział 15: Festiwal muzyczny

Odpowiedz na pytania:

1. Dlaczego Marta była podekscytowana?

2. Z kim Marta poszła na festiwal?

3. Co zastali po przybyciu na miejsce festiwalu?

4. Jaki zespół chciał zobaczyć Michał?

5. Jaką inną scenę muzyczną odkryli?

6. Jak Marta czuła się po zakończeniu festiwalu?

Rozdział 16: Przejażdżka rowerowa

Uzupełnij poniższe zdania właściwym słowem:

1. Marta była zachwycona, bo była piękna __________.

2. Marta założyła __________ i zabrała rower z __________.

3. Marta krzyknęła do Sofii: „Cześć Zofia! Co tu __________?"

4. Marta i Zofia wsiadły na __________ i razem ruszyły pedałując wzdłuż __________ rowerowej.

5. Marta wskazała na __________ i wykrzyknęła: „Spójrz, te __________ są takie urocze".

6. Marta podziękowała Zofii za zaproszenie i powiedziała: „Dziękuję, że __________ na tę przejażdżkę rowerową. Było __________".

Rozdział 17: Przygotowanie wyjątkowego posiłku

Wskaż, które z poniższych zdań jest prawdziwe, a które fałszywe:

1. Marta chciała zaskoczyć rodzinę wyjątkowym posiłkiem.

2. Marta postanowiła zrobić makaron z domowym sosem pomidorowym i klopsikami.

3. Ojciec Marty chciał spróbować czegoś innego.

4. Marta i jej mama wspólnie obierały pomidory.

5. Rodzinie podobał się posiłek przygotowany przez Martę.

6. Marta była smutna i zawiedziona reakcją rodziców.

Rozdział 18: Wycieczka w góry

Dopasuj poprawnie pary, łącząc pierwszą część zdania z drugą:

1. Marta wraz z przyjaciółmi Piotrem i Laurą postanowili wybrać się na emocjonującą wycieczkę...

2. Zaczęli iść ścieżką, podążając za...

3. Widoki z góry były...

4. Marta i Laura zatrzymały się, żeby...

5. W miarę jak się wspinali, teren stawał się coraz bardziej...

6. Trochę odpoczęli, a potem zaczęli...

a) ...podziwiać majestatyczne drzewo.

b) ...w góry.

c) ...niesamowite.

d) ...stromy i wymagający.

e) ...oznaczeniami.

f) ...schodzić, zabierając ze sobą wyjątkowe wspomnienia.

Rozdział 19: Nauka salsy

Odpowiedz na następujące pytania:

1. Jak czuła się Laura przed pierwszą lekcją salsy?

a) Podekscytowana i zdenerwowana.

b) Znudzona i zmęczona.

c) Smutna i zła.

2. Od czego zaczęły się zajęcia salsy?

a) Od rozgrzewki.

b) Od egzaminu.

c) Od konkursu.

3. Co pokazał Karol po praktyce podstawowych kroków?

a) Ruchy breakdance.

b) Ruchy pływackie.

c) Bardziej złożone ruchy salsy.

4. Co Marta i Laura zrobiły, aby zastosować się do wskazówek Karola?

a) Zignorowany instrukcje.

b) Zrobiły sobie przerwę.

c) Starały się postępować zgodnie z instrukcjami.

5. Co Marta i Laura zyskały ćwicząc?

a) Zamieszanie i frustracje.

b) Strach i rozpacz.

c) Pewność siebie i rytm w salsie.

6. Co zrobił Karol na koniec lekcji?

a) Zbeształ ich za to, że nie radziły sobie dobrze.

b) Pogratulował im postępów.

c) Odwołał następną lekcję.

Rozdział 20: Deszczowy dzień w domu

Uzupełnij poniższe zdania właściwym słowem:

1. Marta była ________ w domu ze względu na złą pogodę.

a) smutna

b) znudzona

c) podekscytowana

2. Alicja zaproponowała, żeby spędziła u niej popołudnie ________.

a) grając w gry

b) oglądając filmy

c) robiąc zakupy online

3. Pomysł Alicji sprawił, że Marta była ________.

a) szczęśliwa

b) zła

c) przestraszona

4. Po południu Marta i Alicja grały w swoją ulubioną ________.

a) grę komputerową

b) grę planszową

c) grę karcianą

5. Marta i Alicja usłyszały szum deszczu ________ w okna.

a) grającego

b) świecącego

c) uderzającego

6. Marta stwierdziła, że świetnie bawiły się nawet bez ________.

a) przyjaciół

b) słońca

c) prezentów

Rozwiązania

Rozdział 1: Przyjazd do miasta

1. Główna bohaterka nosi imię Marta.

2. Marta ma dwadzieścia pięć lat.

3. Marta czuje się podekscytowana przybywając do miasta.

4. Marta zabiera ze sobą małą walizkę i torebkę.

5. Paweł to młody mężczyzna, który spotyka Martę na ulicy i pomaga jej znaleźć drogę do nowego domu.

6. Marta mieszka na ulicy Motylkowej 23.

Rozdział 2: Sklep spożywczy

1. sklepu

2. czysty

3. pomidowy

4. owoce

5. banany

6. kartą

Rozdział 3: Spotkanie z sąsiadami

1. PRAWDA
2. FAŁSZ
3. FAŁSZ
4. PRAWDA
5. FAŁSZ
6. FAŁSZ

Rozdział 4: Pierwszy dzień w pracy

1. a)
2. c)
3. a)
4. b)
5. b)
6. c)

Rozdział 5: Spotkanie z przyjaciółmi

1. FAŁSZ
2. FAŁSZ
3. PRAWDA

4. FAŁSZ

5. PRAWDA

6. PRAWDA

Rozdział 6: Wizyta w bibliotece

1. a)

2. b)

3. b)

4. c)

5. a)

6. b)

Rozdział 7: Dzień na plaży

1. Marta zapomniała swoich okularów przeciwsłonecznych.

2. Maciek zaoferował Marcie parę swoich okularów przeciwsłonecznych.

3. Marta podziękowała Maćkowi z ulgą na twarzy.

4. Maciek odpowiedział: "Nie ma sprawy, mam nadzieję, że się przydadzą".

5. Marta opalała się, czytała książkę i pływała w morzu.

6. Marta poczuła się zrelaksowana i odmłodzona.

Rozdział 8: Piknik Marty i jej rodziny

1. piknik

2. kanapki

3. jabłka

4. kocyku

5. psem

6. domu

Rozdział 9: Urodziny

1. Marta była podekscytowana, ponieważ dzisiaj były jej urodziny.

2. Anna przygotowała dla niej małą imprezę-niespodziankę.

3. Spotkały się w pobliskim parku.

4. Marta i Anna postanowiły zagrać w piłkę.

5. Anna prawie uderzyła Martę piłką.

6. Marta i Anna poczuły się szczęśliwe i wdzięczne za wyjątkową przyjaźń.

Rozdział 10: Wizyta w zoo

1. PRAWDA

2. FAŁSZ

3. PRAWDA

4. PRAWDA

5. FAŁSZ

6. PRAWDA

Rozdział 11: Lekcja jogi

1. Marta chciała się zrelaksować.

2. Marta zdecydowała się zapisać na zajęcia jogi w swojej lokalnej siłowni.

3. Marta poczuła się trochę niepewnie.

4. Instruktor zasugerował Marcie obejrzenie filmów o jodze w internecie i zakup maty do ćwiczeń w domu.

5. Znalazła w internecie filmy z jogą i zaczęła je oglądać, aby ćwiczyć w domu.

6. Marta stwierdziła, że praktykowanie jogi w domu jest bardzo wygodne i relaksujące.

Rozdział 12: Przygoda w muzeum

1. FAŁSZ

2. PRAWDA

3. PRAWDA

4. FAŁSZ

5. FAŁSZ

6. PRAWDA

Rozdział 13: Opieka nad zwierzakiem przyjaciela

Marta przybyła do domu Daniela i zastała Mruczka, który czekał na nią w salonie. Po upewnieniu się, że ma jedzenie, wodę i zabawki, Marta opiekowała się nim przez kilka dni. Zabrała go także do parku, gdzie mógł bawić się z innymi kotami i cieszyć się świeżym powietrzem. Marta i Mruczek stali się przyjaciółmi i świetnie się razem bawili.

Rozdział 14: Pierwszy lot

1. b)

2. a)

3. c)

4. a)

5. b)

6. a)

Rozdział 15: Festiwal muzyczny

1. Marta była podekscytowana festiwalem muzycznym.

2. Pojechała na festiwal z Michałem.

3. Odkryli festiwalowy klimat.

4. Michał chciał zobaczyć zespół rockowy.

5. Odkryli scenę muzyki latynoskiej.

6. Marta poczuła się szczęśliwa i usatysfakcjonowana.

Rozdział 16: Przejażdżka rowerowa

1. pogoda

2. kask, garażu

3. robisz

4. rowery, ścieżki

5. jezioro, kaczuszki

6. zabrałaś mnie, wspaniale

Rozdział 17: Przygotowanie wyjątkowego posiłku

1. PRAWDA

2. PRAWDA

3. FAŁSZ

4. FAŁSZ

5. PRAWDA

6. FAŁSZ

Rozdział 18: Wycieczka w góry

1. b)

2. e)

3. c)

4. a)

5. d)

6. f)

Rozdział 19: Nauka salsy

1. a)

2. a)

3. c)

4. c)

5. c)

6. b)

Rozdział 20: Deszczowy dzień w domu

1. b)

2. a)

3. a)

4. b)

5. c)

6. b)

Milton Keynes UK
Ingram Content Group UK Ltd.
UKHW020257221123
432980UK00018B/1297